DE LA MÊME AUTEURE

POÉSIE

La peau familière, Éditions du remue-ménage, 1983.
Où, Éditions de La Nouvelle Barre du Jour, 1984.
Chambres, Éditions du remue-ménage, 1986.
« Quand on a une langue, on peut aller à Rome » (en collaboration avec Normand de Bellefeuille), Éditions de La Nouvelle Barre du Jour, 1986.
Bonheur, Éditions du remue-ménage, 1988.
Noir déjà, Éditions du Noroît, 1993.
Tout près, Éditions du Noroît, 1998.
Les mots secrets, La Courte Échelle, 2002.
Une écharde sous ton ongle, Éditions du Noroît, 2004.

ROMANS

La memoria, XYZ, coll. « Romanichels », 1996. Repris dans « Romanichels poche », 1996.
La Voie lactée, XYZ, coll. « Romanichels », 2001. Repris dans Bibliothèque québécoise, 2010.

THÉÂTRE

Si Cendrillon pouvait mourir ! (en collaboration), Éditions du remue-ménage, 1980.
Tout comme elle, suivi d'une conversation avec Brigitte Haentjens, Québec Amérique, coll. « Mains libres », 2006.

NOUVELLES

L'été funambule, Éditions XYZ, coll. « Romanichels », 2008.

ESSAIS

La théorie, un dimanche (en collaboration avec Louky Bersianik, Nicole Brossard, Louise Cotnoir, Gail Scott et France Théoret), Éditions du remue-ménage, 1988.
Stratégies du vertige, Trois poètes : Nicole Brossard, Madeleine Gagnon, France Théoret, Éditions du remue-ménage, 1989.
Sexuation, espace, écriture : la littérature québécoise en transformation, sous la dir. de Louise Dupré, Jaap Lintvelt et Janet M. Paterson, Québec, Nota bene, 2002.

À André,

à Nicole,

PLUS HAUT QUE LES FLAMMES

ce recueil qui pose des questions

aux grands-parents...

Avec mon amitié,

Louis

Le 3 novembre 2010

Le Noroît souffle où il veut, en partie grâce aux subventions du Conseil des Arts du Canada et de la Société de développement des entreprises culturelles du Québec. Les Éditions du Noroît bénéficient également de l'appui du Programme de crédit d'impôt pour l'édition de livres du gouvernement du Québec (gestion SODEC).

Nous reconnaissons l'aide financière offerte par le gouvernement du Canada par l'entremise du Programme d'aide au développement de l'industrie de l'édition (PADIE)

Artiste : Louise Robert, *N° 795*. Huile, crayons et goudron.
Photo : Daniel Roussel. Avec l'aimable autorisation de la Galerie Simon Blais.
Conception graphique et mise en pages : Éric de Larochellière

Dépôt légal : 3e trimestre 2010
Bibliothèque et Archives nationales du Québec
Bibliothèque et Archives Canada
ISBN : 978-2-89018-681-1

CATALOGAGE AVANT PUBLICATION DE BIBLIOTHÈQUE ET ARCHIVES NATIONALES DU QUÉBEC ET BIBLIOTHÈQUE ET ARCHIVES CANADA
Dupré, Louise, 1949-
Plus haut que les flammes
POÈMES.
ISBN 978-2-89018-681-1
I. TITRE.

PS8557.U66P58 2010 C841'.54 C2010-941932-4
PS9557.U66P58 2010

Éditions du Noroît
4609, rue D'Iberville, bureau 202
Montréal (Québec) H2H 2L9
Téléphone : 514 727-0005
Télécopieur : 514 723-6660
lenoroit@lenoroit.com / www.lenoroit.com

DISTRIBUTION AU CANADA
Dimedia
539, boulevard Lebeau
Saint-Laurent (Québec) H4N 1S2
Téléphone : 514 336-3941
Télécopieur : 514 331-3916

DISTRIBUTION EN EUROPE
Librairie du Québec (DNM)
30, rue Gay-Lussac
75005 Paris
Téléphone : 01 43 54 49 02
Télécopieur : 01 43 54 39 15
liquebec@noos.fr

Imprimé au Québec, Canada

Louise Dupré

PLUS HAUT QUE LES FLAMMES

Éditions du Noroît

à Maxime

l'enfant
près de moi

I

J'ai dit, je me souviens, que je n'en pouvais plus
de tout le malheur du monde

Claude Esteban

TON poème a surgi
de l'enfer

un matin où les mots t'avaient trouvée
inerte
au milieu d'une phrase

un enfer d'images
fouillant la poussière
des fourneaux

et les âmes
sans recours
réfugiées sous ton crâne

c'était après ce voyage
dont tu étais revenue

les yeux brûlés vifs
de n'avoir rien vu

rien
sinon des restes

comme on le dit
d'une urne
qu'on expose

le temps de se recueillir
devant quelques pelletées de terre

car la vie reprend
même sur des sols
inhabitables

la vie est la vie

et l'on apprend à placer
Auschwitz ou Birkenau
dans un vers

comme un souffle
insupportable

il ne faut pas que le désespoir
agrandisse les trous
de ton cœur

tu n'es pas seule

à côté de toi
il y a un enfant

qui parfois pleure
de toutes ses larmes

et tu veux le voir
rire
de toutes ses larmes

il faut des rires
pour entreprendre le matin

et tu refais ta joie
telle une gymnastique

en levant la main
vers les branches d'un érable
derrière la fenêtre

où une hirondelle veut faire
le printemps

il y a cet enfant
que tu n'attendais pas

arrivé avec ses bronches
trop étroites
pour retenir la lumière

cet enfant né de la douleur
comme d'une histoire
sans merci

et tu le regardes caresser
un troupeau de nuages
dans un livre en coton

en pensant
aux minuscules vêtements
des enfants d'Auschwitz

à Auschwitz on exterminait
des enfants

qui aimaient caresser
des troupeaux de nuages

leurs petits manteaux, leurs robes
et ce biberon cassé
dans une vitrine

cette pauvre mémoire
à défaut de cercueils

et les visiteurs
en rang serré
sous l'éclairage artificiel

tandis que tu attendais

le corps ployé
comme si le monde tout à coup
s'appuyait sur tes épaules

avec ses biberons cassés

car les enfants d'Auschwitz
étaient des enfants
avec des bouches pour la soif

comme l'enfant
près de toi

sa faim, sa soif
et des promesses que tu tiendrais
à bout de bras

s'il ne s'agissait que de toi

mais ici c'est le monde
et sa folie

puanteur de sang cru
et de chiens lâchés
sur leurs proies

même quand tu refais
ta joie
telle une gymnastique

ou une prière
sans espoir

il y a des prières
pour les femmes
sans espoir

celles qu'on dit la voix
tressée aux malheurs
qui inspirent les livres

car la terre a connu
plus de désastres
que de bénédictions

pluies d'insectes
ou de feu

pluies de pierre
dont on lapide les épouses

pluies d'obus lancés
sur les villes
comme des œufs

pluies de pluie qui n'en finissent pas
de tout engloutir

heureusement il y a des arches
pour les femmes
sans espoir

et les petits garçons
à hauteur de nuages

qui chevauchent
leurs premiers rêves

survolant les sommeils
frais d'été

il y a encore des étés
où ricochent les rires
païens dans les prunelles

les jours de fêtes foraines
et de manèges

qui agitent blanc
le fantôme de Dieu

car Dieu n'est qu'un souvenir
de messe basse

personne
ne prend pitié
de toi ici

ni du monde ni des suaires
creusant le ciel
comme des visages

toi, tu appartiens à la terre
terreuse

des sépultures
et des animaux

tu n'entends plus le cri
des couteaux

pour te nourrir
depuis le temps des grottes
où tu abritais tes petits

avant de savoir te tenir
debout

debout, tu l'es maintenant
et droite

ce petit à côté de toi
qui t'imite

en ignorant encore le supplice
des abattoirs

tu lui répètes qu'il faut manger

comme tu as toi-même mangé
depuis tes dents de porcelaine

car la vie commence
avec les mâchoires

et les boeufs pendus
aux crochets des marchés

tu revois la jolie robe de ta mère
le vendredi

et ta main moite dans la sienne
puisqu'il ne fallait pas te lâcher

comme ces enfants
sur les photos de Birkenau

croquées juste avant l'arrachement

leurs cris crevés
qui hantent encore
les champs

tel un vent revenu
de la mort

derrière la honte
il y a aussi des mères
au cœur éclaté

car le cœur n'est pas une abstraction

le cœur est une mécanique
muette, une corne
d'abondance

où l'on recueille
la douleur

dans les chambres, les enfants
vacillaient entre deux syllabes

collées
aux parois des bronches
avant de s'écrouler

et les soldats tous les jours
la patience qu'il fallait

les fours à alimenter
les fours à nettoyer

tu allumes le four
en tremblant

pour l'enfant près de toi
affamé comme un horizon

sans lui raconter
Auschwitz ni Birkenau

il y a des histoires
que tu ne veux pas
lui raconter

tu veux garder
intact
le temps du lait chaud

et des feux
en forme de colombes

et les lendemains
qui croient encore
aux vertus du chant

tu lui prêtes
ta plume

car il faut des mots
à mourir de plaisir

des mots pour les yeux
plus brillants qu'un matin de mer
mêlée au sable des châteaux

et des livres qui crachent
des dragons
aux flammes tranquilles

c'est ici la grâce du soir

et il te reste tant de brebis
à compter

tu t'appliques à les compter
une à une

l'enfant dans tes bras

tu veux des calculs verticaux
pour reposer la douleur

des ponts-levis, des îles
improbables

des échelles
plus hautes que les flammes

la vie n'est pas seulement
un enfer

tu as été toi aussi
la fillette des mots

lancés
aux quatre vents

tu oublies les plaines
allumées
comme du pétrole

et les enfants
courant à côté de leur ombre

si nus qu'on aperçoit les crânes

par milliers
au fond de leurs yeux

il suffit d'une seule guerre
pour faire basculer le monde

tous ces récits
de sang et de couteaux

depuis les grottes
où tu abritais tes petits

l'enfant voit déjà
des terreurs

quand le soir touche
le seuil de la nuit

des visages dévorés
par leurs dents longues

comme dans les villes
sans appel

où tu marches
certains matins

tintamarre de musiques
moteurs, klaxons
voix scintillant au soleil

devant les banques
semblables à des oasis

blanchies à la pointe
du fusil

la vie est aussi le crime
en sourire et cravate

qui s'affaire chaque jour
tout près

heureusement dans les villes
il y a des musées

vastes comme des cathédrales
avec des madones

et leurs larmes de marbre

versées sur des fils
qui n'ont pas survécu
à leurs bourreaux

les mères ne savent pas
dans quelle violence
finiront leurs enfants

les mères ont la foi

elles travestissent
la réalité
pour oublier la peur

aussitôt qu'elles aperçoivent le sang
étendu sur les murs
des musées

par des fils crucifiés

tu tends un crayon rouge
à l'enfant
à côté de toi

rouge feu, camions
et sirènes

qui prennent de vitesse
l'histoire et le cerveau

il s'agit de dessiner
des jets d'eau vive

des chats qui naissent
neuf fois de leurs cendres

des nuits à poings fermés
où plongent
les petits garçons

à l'heure où tu prêtes
ta voix
à des animaux

ravis d'endormir
le désespoir

tu es humaine
et l'humanité ne demande
qu'à se réfugier

sous des phrases entendues
dès l'enfance
de l'art

lorsqu'on ne peut plus voir
Auschwitz se découper
comme une nature morte

sous un ciel d'un bleu
insupportable

car le bleu est insupportable
chaque fois qu'il trahit
la mémoire

ce qui reste d'Auschwitz
est un décor
de banlieue

petites maisons en brique
parfaite

comme en ces temps
d'anciennes naïvetés

avec des draps sur les cordes
balancés
à la moindre brise

et les femmes en tablier
sans taches

qu'elles exhibaient
devant leurs enfants

tu viens toi aussi
de la propreté quotidienne

du pain blanc
tranché à la machine

qui pouvait couper
un doigt

mais personne
chez toi ne mourait
au bout de la haine

les jours coulaient dans les veines
avec des verbes
au futur

car le futur était une question
que se posaient les filles

en jouant
avec les garçons

une manière de deviner
le meilleur et le sang
sur les cuisses ou les drapeaux

le futur est maintenant
une question
à choix multiples

comme ces rumeurs urbaines
qui dérangent ta lecture
du matin

mais tu continues à visiter
en silence
les formes souffrantes

sans cesse en train de tourmenter
l'éclairage blafard
des musées

certains matins tu laisses
l'enfant
à ses feux de paille

et tu pars
seule

chercher l'erreur
dans les apocalypses
de Francis Bacon

II

nous n'avons point confiance en cette terre
avec son ventre plein de morts
ses tremblements ses tornades ses verglas
ses grands arbres d'où basculent
les enfants

GENEVIÈVE AMYOT

ET TU recommences
ton poème

avec la même main, le même
monde, la même merde
étalée sur la page

gauche, la main
quand elle brasse des matières
qui ne la regardent pas

sauf en diagonale
sous l'angle de la honte

comme si c'était la main
d'un soldat qui avait suivi
les ordres

lèvres cousues, insigne cousu
à la place du cœur

mais tu es là, posée
tranquillement dans ta main
gauche

avec l'enfant et le conte
du petit garçon
sauvé des eaux

car le matin est parfois cette bonté
des livres

où les princesses ouvrent les yeux
devant les berceaux
dérivant sur les fleuves

le matin est cette folie
de raconter

les femmes qui ont enfanté
en un seul clignement
des paupières

simplement raconter
dans ta langue maternelle

un élan, soudain
une âme

un amour qu'on devine
aussitôt la main éblouie

tendue vers les langes
et les pleurs
souillés

il y a des matins
pour l'amour

et tu veux les raconter
à l'enfant près de toi

comme ces anciens troubadours
marchant de village en village

avec un peu de décence
à jeter
sur les guerres

tu veux appartenir
à une lignée de rêveurs
en éveil

qui ont de tout temps
propagé la consolation

pour la suite du monde

et le matin
tu t'évertues à ranimer
les saints livres

pour l'enfant
près de toi

même si tu ne reconnais plus
ton monde

ni sa course essoufflée
ni sa cacophonie
en couleurs

sur les écrans géants
accrochés aux buildings

qui dorment
autour du carré du temps

tandis que des hommes
et des femmes

comme toi
se mirent en silence

dans le regard crucifié
de Francis Bacon

car le monde n'est pas un temple

le monde est un musée
ouvert aux quatre ciels

où le feu et le sang
ont exterminé
le peuple des anges

mais le plus petit moineau
suffit encore à l'enfant
pour se bricoler des ailes

et à l'heure des cloches, le dimanche
tu te demandes

si c'est piété ou mensonge

de garder les lèvres
bien soudées
sur la douleur

le dimanche, tu fais vœu
de beauté

en remuant
mers et merveilles

ta voix qui court
sur la page

comme tu cours
après l'enfant
pour l'entendre rire

l'enfant est un lac de montagne
plus profond
que ta peur

et tu te vois soudain prête
à tremper ta foi

dans les eaux
noires qui protègent
la mémoire des rochers

grandes tombes
gravées de fossiles

que tu ressuscites
pour l'enfant près de toi

car il vient de si loin
que tu crois
aux miracles

il vient comme toi
d'un peuple ailé

qui a traversé les ciels
géants et les déluges

et tu le regardes
maintenant debout

dans cette histoire
condamnée d'avance

en repliant bien vite
sur lui
tes bras maladroits

heureusement il te reste
des bras

caresse, nuage
que tu tisses
sous ses petits pas

toi, l'araignée du soir

la bête besogneuse
toujours disposée à attraper
les monstres sous le lit

la vie le soir
est une lutte à finir
dans la chaleur d'une chambre

avec des baisers
sur le front

et une autre nuit
en veilleuse

tu refermes doucement
le sommeil

pour entreprendre le bilan
du jour

images écloses sous les ronces
que tu ne finis pas
d'arracher

images plantées
parmi les tournesols
tournés vers le midi

car il faut des jardins
d'enfance
pour secouer le présent

sa combustion vive, sa fumée
en spirale
de sapin ou d'érable

le paysage qui sommeille
dans sa paix fragile

alors que monte dans tes narines
l'odeur funèbre
des fours

te voici encore une fois
déformée

comme un personnage
de Francis Bacon

rouge sanglot, rouge
crucifié

mais tu répètes les mots
susceptibles de redresser
la nuit

la nuit est un livre
où tu lis
entre les lignes

des rêves
que tu peux encore rêver

il suffit d'un tout petit passage
creusé dans le noir

une grotte où l'on allume
des cierges
pour les offrandes

une fine lueur qui fait
valser les ombres

cela, oui, te suffit

même sans orchestre
la nuit te suffit

et tu reprends
ta place
parmi les créatures

nées d'un peu d'argile
et de côtes

ton orgueil roulé
en boule
sur le parquet

tandis que l'enfant te réclame
du fond d'un cauchemar

où l'attaque une bête
de dessin animé

bouche hurlante
comme dans les toiles
de Francis Bacon

car l'enfant est un enfant
du siècle

avec ces jeux de massacre
qui coulent
rouges de l'œil

l'enfant ne connaît pas de dieux
capables de recommencer
l'argile

ni le cœur au cœur
du monde incendié

comme celui qui tourne
autour des étoiles
jaunes
d'Auschwitz et de Birkenau

petits manteaux, robes mitées
et ce biberon
qui a appartenu à un enfant

semblable à l'enfant
que tu endors de nouveau
dans tes bras maigres

la nuit est parfois un enfant
accroché à la chaleur
d'une femme

risquant
sa voix
à l'horizon du noir

voix d'ange au plumage
lissé par la peur

alors que tu revis
ta propre enfance

avec ses espèces
non menacées

et l'école, la maison
et l'église

plantées aux trois angles
d'une pureté

où tu promenais ton âme
comme un chiot imprudent

avant, bien avant cette fissure
presque invisible
dans la muraille du jour

qui s'est peu à peu élargie
jusqu'à ce que l'enfer
te trouve

dans ta crinoline
de poupée

c'est venu
cette odeur fantôme
à la gorge

c'est venu comme une fenêtre
forcée, un rideau
de fer

avec ce soleil éteint

et ton regard
de grande brûlée

c'est venu
à n'en plus pouvoir

les mots en chute libre
dans les images

champs, camps, cadavres
et les corps disloqués

toi, ton corps de douleur
tu l'as revêtu
un jour nonchalant

sans savoir
qu'il n'allait plus
te quitter

même avec l'enfant
dans tes bras

ses vocalises d'oiseau moqueur

et les oursons endormis
dans les boisés
des draps

toute cette joie
recommencée
du soir et du matin

car la douleur est un cancer
qui ronge
jusqu'à la défaite dernière

une geôle sans geôlier

et devant le miroir
tu baisses tes paupières
de louve

grugeant
chaque jour les barreaux
de sa captivité

captive, tu l'es
de ces yeux vides

qui lancent sur toi
un regard sans pitié

comme si tu étais condamnée
à mourir

entre les bras
de tous les mourants

et tu tournes
dans tes phrases

en chassant par milliers
les insectes noirs
sur la crête des mots

avec l'espoir de trouver
une fosse
à l'infini des deuils

car il y a l'enfant
près de toi

qui fait rutiler
une langue de fermes
heureuses

qu'il transporte
dans son petit train

c'est pour l'instant
une parole solidement attachée
à la bouche

la bouche grasse et pleine
capable d'oublier
tous les désastres rouges

c'est bien le présent

sa méthode concrète
empruntée aux grandes foires

carrousels et fanfares
des dictionnaires illustrés

tu crois qu'on peut apprendre
des saltimbanques

mieux que des soleils de banlieue
pendus aux fenêtres
des écoles

la vie est partout

même sans Dieu
la vie est un serment

que tu bégaies
à chaque envol
du matin

parfois un adverbe
infinitésimal

qui se frotte aux adjectifs
bon ou *aimable*

en pensant faire lever
plus vite la mie quotidienne

l'enfant près de toi
est un ogre

comme tous les enfants
des matins

où l'on ne ménage pas
le pain chaud

et tu prépares un repas
dans l'angle mort
de la détresse

c'est ainsi
depuis la mémoire

ainsi que font les femmes
aux gestes sans défaut

pour des enfants attablés
à la vie familière

telle une communion

tandis que tu chasses
le souvenir des apôtres

conviés une dernière fois
autour du sang

et du corps bientôt rouge
Francis Bacon

tout comme Francis Bacon
tu es née d'une histoire
de supplices et de résurrection

que te servaient
chaque matin
ces femmes aux robes lourdes

berçant un crucifié
entre leurs seins

tu as fait tes classes
à l'ombre du diable

bien avant d'apprendre
à prononcer un enfer

fumant encore
sous les consonnes impossibles
de son nom

Toutes les choses de grâce et de beauté qui sont chères à notre cœur ont une origine commune dans la douleur. Prennent naissance dans le chagrin et les cendres.

CORMAC McCARTHY

C'EST ainsi que le poème
te tient tête

comme tu tiens
tête

à la piété
simple des choses simples

car tu n'es pas une prêtresse

mais une femme
de la nuit inquiète
et des bibliothèques

qui tremblent sous l'attaque
des acariens

malgré la supposée sagesse
des livres

tu ne parviens pas
à détruire la douleur

la douleur est ce ver du cœur
qui continue de t'habiter

là, en ce creux
assagi de l'enfance

tel un point sur la carte
du tendre

un village enseveli
sous les décombres

après une catastrophe
sans témoins

aucun récit, aucun visage

ton souvenir est un carré
blanc sur fond blanc

une peinture terriblement
abstraite

un repentir
que tu grattes du bout de l'ongle

jusqu'au sang
des mots

car les mots laissent aussi
des échardes
sous la peau

quand le doigt touche
le bois mort
de la langue

et les spectres qui dorment là
depuis la création du temps

elle est très vieille
ta douleur

elle vient du silence
des continents
noyés

comme ces navires qu'on croyait
perdus dans l'abîme

quand la Terre
était aussi plate qu'une monnaie

ta douleur ne te borde pas

elle ne s'échange pas
contre des denrées rares

elle n'est pas périssable

elle poursuit son chemin
à côté de toi
et de l'enfant

qui ne veut pas apprendre
l'arithmétique
du mourir

l'enfant a une fenêtre
ouverte
dans la poitrine

avec vue
sur le courage

des espèces qui croissent
et se multiplient encore

sous l'œil affamé
des prédateurs

l'enfant ne veut pas
installer en lui
la douleur

comme elle s'est installée
dans tes cellules
avec sa lumière froide

et tu cherches à la contenir
en la couvrant d'un drap
de soie

ou d'une volonté
chaque fois naissante
chaque fois survivante

car elle ne prend pitié
de personne, la douleur

elle se présente arme
au poing

elle vise le battement
de l'amour

elle t'a forcée à errer
les yeux crevés, l'âme
crevée

et le soleil trop seul
pour te réchauffer

tu essaies en vain de te rappeler
où tu demeurais

avant cette maison de paille
construite à la sueur
de tes mains

mais une maison de paille
reste tout de même
une maison

où l'on finit par trébucher
sur l'amour

l'amour se meut dans l'ombre
d'une parole

qu'on tient contre la poitrine
pour la protéger

à défaut de pouvoir
l'entendre

comme une caresse
de l'enfant près de toi

qui sait faire chanter
le silence océan
des forêts, la nuit

quand les arbres démêlent
leur chevelure
pour l'aube

la nuit, une seule caresse
de l'enfant

peut déjouer
ne serait-ce qu'un instant
le monde et sa douleur

tu traverses alors ton âme
jusqu'à la foudre des mots

et tu oublies
l'interminable liste
des bûchers

allumés par des mains
qu'on a dit humaines

comme si une innocence
pouvait encore se lever
en toi

ne serait-ce qu'un instant
une fragile seconde

suspendue à l'idée
qu'il n'est pas trop tard
pour l'impossible

d'une vie qui volerait
l'air nu de juillet

contre toute attente
toutes les larmes retenues
derrière l'iris

et les cages
encagées dans les toiles
de Francis Bacon

une petite distraction
est parfois la dernière raison
qu'il te reste

distraction, dis-tu
et non oubli

bientôt tes yeux seront inondés
par une pollution d'images

noires
échappées d'une phrase
écrite de travers

tu le sais, ta belle candeur
elle dort
dans un vieux catéchisme

où tu as appris
la chute des anges

depuis, tu connais
la loi de ta naissance

au sein d'une espèce
prête à tuer

avec le plaisir
dont on fabrique le poème

une seule caresse
de l'enfant
dans tes bras

porte en elle tous les minuscules
vêtements d'Auschwitz

et les biberons cassés

et le cœur explosé des mères
depuis le jardin
de la première femme

tu ne cesses de te demander
comment marcher
dans la douleur

que tu traînes
à ta semelle

toi, l'exilée
des grands vergers

en quête d'une réponse
qui ne vient pas

quel havre promettre
à l'enfant près de toi

quelle eau pour la soif
et les mots

pris sous des métaphores
désuètes

quel héritage de pauvresse
à offrir

mais tu marches, tu avances
dans ta langue

plus exténuée qu'un cheval
de labour

avec le rêve que l'enfant
un jour soulèvera une phrase
dans ses petites mains

et la lancera
au bout de sa force tranquille

comme il joue à la balle
avec une boule
du dernier Noël

puisqu'il faut des naissances
pieuses
sous les arbres

coupés de leur vie
d'avant

mourant pour éclairer
les syllabes les plus sombres
de décembre

il faut un avenir
à la dure fiction
de durer

comme dans les films
égratignés
des salles paroissiales

où le mot fin
justifiait le sacrifice

prête au sacrifice
tu le serais, toi aussi

si tu pouvais brûler
tous les suaires

mais les petits fantômes
reviennent invariablement
peupler la nuit

avec leurs hurlements
qui font trembler la terre

et tu laisses
de guerre lasse
ta maison s’écrouler

avec la pensée d’un présent
construit sur quelques livres

tel un vent levé
dans la tête

pour l’exercice de vivre
parmi les cadavres

il y a heureusement
des livres

à transporter
dans les cours d’école

là où tu croquais des pommes

en apprenant la leçon
du bien et du mal

là tu as commencé
à croire aux histoires
de grands-mères

avec ces petites filles
rouge sang, rouge
sacrifié

rouge horrifié

comme le bruit
des biberons éclatés
sous les bottes

et tu revois les papes
assis sans remords
dans les toiles de Francis Bacon

ce matin de soleil
silencieux

où tu marchais
entre les murs déformés
de la douleur

sans comprendre pourquoi
ce martèlement monstrueux
sous ton crâne

alors que tu t'accrochais
si parfaitement
à la lumière de nulle part

car un homme est un homme
même s'il revêt sa papauté

même innocenté
par le théâtre pudique
d'un tableau

et tu continues à avancer
en ignorant combien de temps
il faut baisser les paupières

avant de voir se dessiner
sous les repentirs

les ombres pliées
des peuples

comme des arbres
à bout
après l'orage

cette plainte qui coule
dans tes veines

en suivant le chemin
que l'enfant ouvre chaque jour
jusqu'à ton cœur

cire des crayons
achetés à la douzaine

qui gravent sur la feuille
une main
pour la caresse

caresse, malgré toi
tu es revenue
vers ce mot qui te soulève

comme un tourbillon de voix
sous le vent parfumé
les soirs de lanternes

caresse, effleurement
valse des doigts

sur l'ourlet
des blessures cousues
et recousues

dans cette dignité
qu'on appelle parfois *poème*

la joie tient à un fil
invisible

elle ne t'appartient
que si tu la délivres
de cette bouche

béante comme le cri
qui brûle le ciel

rouge Francis Bacon

mais l'enfant à côté
et ses lèvres

toujours prêtes à chanter
la nuit

pour la gloire des images

au bout de tes dix doigts
il y a ces rêves
sur les murs lézardés

telle une eau
pascale

il s'agit de bouger
la main entre les images
de la honte

en traçant des sentiers
qui vont vers le soleil

car l'enfant
ne connaît pas le sang
du calice

l'enfant est une soif d'or
qui éclabousse le paysage

il t'entraîne, il te force
à marcher

dans ses délires
d'avenir et d'espace

l'enfant est plus grand
que les bras
des crucifixions

et tu redeviens la fillette
qui pleurait grand
pour aimer grand

toi, la maintenant petite
et vieillie
au cœur courbé

ce que tu vois
reste sans appel

comme une grammaire déréglée

une église aux angelots
cloués
par le blanc des ailes

une cage en verre
pour le lustre des papes

qui ont su
préparer le malheur

ce que tu vois chaque jour
déchire
la peau de ton œil

mais tu poursuis
derrière l'enfant
ta route immobile

en espérant toucher
dans l'innocence des herbes
qu'on dit mauvaises

une seconde de sagesse

tel un puits
où plonger la douleur

jusqu'à une eau
tressaillant de beauté

et tu t'enveloppes
de ce rien

semblable à une aube
neigeuse

alors que tu contemples
le matin
engourdi de silence

cette rosée qui fait miroiter
le monde dans ta main

tout à coup habile
à fabriquer du jour

tu te fais tout à coup
l'artisane d'un linceul

pour les âmes
sous les cendres

comme si vivre devenait
un ouvrage de dame
et de modestie

repris
à chaque intuition
de la lumière

et tu redresses les mots
sous tes paupières

afin que l'enfant
près de toi
apprenne à gravir

une à une les marches
de ses rêves

car l'enfant est à lui seul
une humanité

l'enfant est un don
que tu n'attendais pas

IV

Jusqu'au bout, dénouer, même avec des mains nouées.

Philippe Jaccottet

ET TU veux apprendre
à danser

sur la corde calcinée
des mots

te voici pur vouloir
pur dessein, détermination
violente

lancée
comme une flèche

ou un amour
trop vaste pour toi

te voici prête
à danser
par-delà ta peur

aveugle et sourde
aux craquements de tous les ciels

qui se sont cassés
depuis que tu sais lire

tu ne cesseras jamais de savoir
les livres et leurs leçons
rouges

jamais tu n'oublieras
de quel sang tu es née

tu es née des baïonnettes
anonymes

qui ont ouvert la chair
des femmes et des drapeaux

telle cette langue
souillée
que tu charries dans tes veines

tu es humaine
et tu le sais

tu es terrienne et tu retourneras
à la terre

qui composte
les cadavres
comme des restes de table

à coups de bottes
ou d'oraisons

car un cadavre est un cadavre

même enfant
dont on prend grand soin

en le préparant
pour le fourneau

même femme à la poitrine
surie

qui n'a plus rien
à allaiter

d'un sol à l'autre
c'est la même écorce
poreuse comme des os

le soir quand tu veilles
sous la lampe

toi, volonté pure
pur désir de légèreté
et de danse

puisque l'enfant
près de toi
aime danser

les muscles tendus
vers la magie moderne

et les génies capables de transformer
une ville
en champignon de feu

danser, peut-être
simplement pour tenir

les songes en équilibre
dans les remous
du sommeil

après avoir perdu
le pas qui rythmait
chaque sursaut de ton ombre

tu n'es pas une femme
à renoncer

toi, pur vouloir
pur désir d'espace
et d'avenir

tu danses, l'enfant
collé contre tes seins

vous dansez
jusqu'à l'étourdissement
du jour

vous dansez la danse
comme une profession
de foi

une charité bien ordonnée

une supplication de fleurs
qui attendent
chez les marchands

un peu d'eau
pour les accueillir

tu crois le temps
venu
de consoler

la chair inconsolable
de cette douleur

que tu n'as jamais
su où loger
en toi

sinon en une faute
renaissant à chaque naissance

comme un appel
surgissant de la terre
ancestrale

quand elle se décide
à recracher ses entrailles

la douleur est un volcan
mal éteint

qui te secoue
jusqu'à la colère

tu ne reconnais plus
cette lave
surgie de ton cœur sauvage

car la colère est l'énergie

désespérée de l'amour
tapi dans la douleur

et tu danses avec l'enfant
dans tes bras

tu danses
pour essouffler en toi
la petite voix d'oracle

toujours tentée
de prédire la poudre
et le canon

tu connais autant de mots
pour le malheur

que pour le miroitement
des fleuves

quand ils mènent leurs eaux
jusqu'à la mer
sans soupçonner la catastrophe

tu dis *catastrophe*
comme une huile
sans fin

à nettoyer
avant que tes jambes
ne s'engluent dans le noir

catastrophe, comme on sombre
avec les oiseaux

le soir dans les salons
bien assis

mais tu danses
pour faire bouger
cette émotion

que tu appelles *douleur*, *colère*
ou *amour*

dès que tu prends le temps
de soulever ta peine

pour voir apparaître
un jardin de synonymes

où tu déposes enfin les urnes
inconnues

ta peau gris cendre

comme un cimetière
profane

une animale échappée
de la préhistoire

qui avance
vers sa disparition

mais l'enfant
tout près et l'amour

l'enfant et tu danses
le voyage immémorial
dont tu as surgi

le crâne encore taché
du sang de toutes les femelles

hurlant à se déchirer
jusqu'au cœur

l'enfant et tu commences
à approcher la douleur

à la bercer telle une fièvre
qu'il faut soigner
avant qu'elle ne t'emporte

tu la sépares peu à peu
de la souffrance
sans visage

te voici résolue à pleurer
la douleur

résolue à l'aimer
dans les montagnes

d'ossements
retournés à la poussière

comme dans la fumée gluante
emprisonnant
les villes

tu l'aimes jusqu'au cri
de l'agneau
qu'on égorge

sous le regard pascal
des papes

cri de nourrissons
terrifiés

tels les enfants d'Auschwitz
enfermés dans le noir
des fourgons à bestiaux

tu le sais, vous avez toujours
cheminé

humains et bêtes
vers un destin commun

mais tu danses
comme on fête
la survivance des champs

entre deux invasions
de sauterelles

l'histoire est laide
et tu le sais

l'histoire est rapace

elle n'a aucun souci
d'épargner les récoltes

ni les enfants
réunis en gerbes
pour un dernier repas

car peu importe la chair
quand le ventre fait briller
le couteau

tu n'es pas la première
à danser et tu le sais

elle résonne encore
dans tes pas la musique
cannibale

d'où tu es sortie
un après-midi de juillet

dans tes pas, il y a tout le sang
du monde

depuis que le monde
est monde

il y a les cœurs
mangés
pour leur audace

et le silence rampant
sur les crânes

mais le matin cogne
sempiternel
à la fenêtre

et tu redeviens celle
qui s'agrippe à ses pieds

comme à un souvenir
de ventouses

ver de terre
ou de mer, ténia
douve, filaire

qui veut faire pourrir
la main du bourreau

tu danses le jour
jusqu'à la grandeur de l'enfant
dans tes bras

ses questions déjà
blessées

et ton amour
qui ne pourra jamais répondre

tu n'as pas de leçon
à donner

pas de terre à promettre

tu n'es pas prophète
et tu le sais

seule une mendiante
de bonheurs

sans cesse tordus
comme des bouches
rouge Francis Bacon

une météorologue
aux aguets

dans l'œil d'un cyclone

si puissant qu'il peut arracher
les arbres et les rêves

mais tu te tiens droite
et tu danses

avec ces papillons
cachés dans ton cœur

à défaut de trouver
d'autres refuges

te voici assez forte
pour accueillir en toi

le monde
à jamais endeuillé

le porter, le bercer
aussi longtemps que tu vivras

malgré ton cœur
tropical
tu as encore assez de rythme

pour faire valser l'enfant
au centre du cyclone

car ici le temps
est bleu et nuit
avec étoiles

et tu veux voir
haut

plus haut que le mur
de ton œil

tu veux voir là où les visages
ressemblent encore
à des visages

et les villes, à des phrases
qui ne périssent plus
entre les lèvres

il y a bien une syntaxe
pour parler doux

au fin fond
de ton souffle blessé

ou devant les pierres
tombales

quand le sol devient si friable
que les morts se mettent à remuer
dans leur voix

tu peux alors entendre
se détacher
la plainte du monde

comme une physique
de la douleur

une science
à comprendre

avant tes dernières images

malgré ton cœur tropical
tu n'es pas encore trop vieille

pour la leçon
des vents qui t'encerclent

ils t'encerclent
mais tu danses

avec l'enfant et l'espoir fou
de répondre
au murmure de la terre

la terre n'attend pas
le repentir ni la prière

elle veut retrouver le cycle
des semailles
et des moissons

et l'eau humble
jetée sur le printemps

et les onctions en spirales
sur la tête des nouveau-nés

même tremblant, un geste
ressuscite parfois
la chair des mots

étouffés
sous la poussière

comme un testament
de l'ombre

que tu graverais
dans ta propre chair

car la mémoire des morts
cherche une demeure

elle te demande

à boire
et à danser

et tu la fais valser
avec l'enfant

enivré par la joie
de ces cercles

que tu veux agrandir

jusqu'à ébranler
les parois indestructibles
de ta peur

peu importe la possible
vengeance des vents
ou des volcans

peu importe ta fatigue

dans tes bras
il y a l'enfant qui te regarde

et même sans bravoure
tu deviens une femme
de courage

une femme de fenêtres ouvertes

capable de déborder
le jour

tes os sont plus solides
que tu ne crois

ils ne te trahissent pas encore

et tu ne trahiras pas
le monde minuscule
accroché à ton cou

comme un mystère
qui t'implore
en riant

de continuer
à danser

TABLE DES MATIÈRES

I 9
II 33
III 57
IV 83

Plus haut que les flammes a été composé
en caractères Hoefler corps 11
et achevé d'imprimer par Imprimerie Gauvin
en septembre 2010.

DIRECTION LITTÉRAIRE
PAUL BÉLANGER